Magic
Mathematics tutor

(for ages 7-11)

Managing Editor: Simon Melhuish

Series Editor: Nikole G Bamford

Designer: Linley J Clode

Writer: Peter Jackson

Cover: Alan Shiner

Published by
The Lagoon Group
PO Box 311, KT2 5QW, UK
PO Box 990676, Boston, MA 02199, USA

ISBN: 1905439008

www.intelliquestbooks.com

Printed in China

Your **QUIZMO**
will work with all other
INTELLIQUEST QUIZ BOOKS!

Here are some other amazing IntelliQuest titles.
See **www.intelliquestbooks.com** for the full range.

QUIZ BOOKS

KIDS BOOKS

PUZZLE BOOKS

www.intelliquestbooks.com

IntelliQuest

UNIQUE BOOK CODE	038

Instructions

First of all make sure you have one of these Quizmos pictured here.

Find the book's unique code (this appears at the top of this page). Use the ◀ and ▶ buttons to scroll to this number on the Quizmo screen. Press the ⬅ button to enter the code, and you're ready to go. Use the ◀ ▶ scroll buttons to select the question number you want to answer. Press the Ⓐ, Ⓑ, Ⓒ, or Ⓓ button to enter your chosen answer.

If you are correct the green light beside the button you pressed will flash. You can then use the scroll button to move on to another question.

If your answer is incorrect, the red light beside the button you pressed will flash.

Don't worry, you can try again and again until you have the correct answer, OR move on to another question. (Beware: the more times you guess incorrectly, the lower your final percentage score will be!)

You can finish the quiz at any point — just press the ↩ button to find out your score and rank as follows:

75% or above	You're an utter genius!
50% — 74%	You're mad about mathematics.
25% — 49%	It looks like you need a bit more practice
Less than 25%	Keep trying and you'll get there

If you do press the ↩ button to find out your score, this will end your session and you will have to use the ↩ to start again!

HAVE FUN!

The questions in this book should cover topics you learn between the ages of 7 and 11. If you're 7 or 8, you should be able to tackle most of the subjects in this section and even if you're not sure of anything — have a go anyway! If you're 9 and older, these should be relatively easy so time yourself and make it fun.

<u>Topics in Section 1</u>
Addition
Subtraction
Multiplication
Division
Square Numbers
Fractions
Decimals
Multiples
Factors
Formulas
Shapes

Handy Hint
If you add two even numbers together, you get
an even number. If you add two odd numbers
together, you get an even number, but if you add
an odd and an even together, you get an
odd number. Start with the biggest number.
Split numbers up before you add them.
17 + 12 =
10 + 7 + 10 + 2 =
20 + 9 = 29

001 26 + 36 =
A 77   B 53   C 62   D 61

002 27 + 78 =
A 103   B 105   C 102   D 110

003 36 + 95 =
A 135   B 134   C 132   D 131

004 39 + 43 =
A 85   B 83   C 82   D 81

005 89 + 46 =
A 133   B 126   C 135   D 131

SUBTRACTION

Handy Hints
Adding and taking away are opposites of each other. Always put the biggest number first.
6 + 5 = 11 so 11 – 5 = 6 and 11 – 6 = 5

Can you answer the following sums?

006
29 – 13 =
A 15 **B** 16 **C** 17 **D** 14

007
45 – 36 =
A 12 **B** 10 **C** 8 **D** 9

008
134 – 112 =
A 22 **B** 24 **C** 23 **D** 25

009
294 – 177 =
A 118 **B** 114 **C** 117 **D** 116

010
234 – 107 =
A 122 **B** 127 **C** 126 **D** 124

Handy Hint
Learn your tables before you try these, but remember you can multiply numbers in any order.
6 x 4 = 24
and
4 x 6 = 24

011

$$4 \times 2 =$$

A 6 **B** 7 **C** 10 **D** 8

012

$$7 \times 3 =$$

A 28 **B** 32 **C** 24 **D** 21

013

$$8 \times 3 =$$

A 24 **B** 27 **C** 21 **D** 25

014

$$7 \times 5 =$$

A 29 **B** 35 **C** 37 **D** 38

015

$$9 \times 7 =$$

A 72 **B** 56 **C** 63 **D** 54

MULTIPLICATION

Now try these:

016
10 × 5 =
A 63 B 50 C 65 D 48

017
8 × 7 =
A 34 B 56 C 42 D 63

018
What is six times eight?
A 48 B 46 C 35 D 53

019
Multiply nine by thirteen
A 124 B 118 C 117 D 116

020
Multiply forty four by ten
A 457 B 450 C 444 D 440

021
Multiply eight by forty
A 336 B 348 C 320 D 356

022
Multiply nine by thirty
A 270 B 336 C 348 D 356

DIVISION

Can you find the answers to these sums?

023
$$18 \div 2 =$$
A 4 **B** 3 **C** 6 **D** 9

024
$$24 \div 6 =$$
A 6 **B** 4 **C** 3 **D** 2

025
$$16 \div 4 =$$
A 4 **B** 5 **C** 3 **D** 6

026
$$25 \div 5 =$$
A 5 **B** 7 **C** 8 **D** 10

027
$$21 \div 7 =$$
A 5 **B** 6 **C** 7 **D** 3

WORDS to NUMBERS

028
Which number says?
Twenty-eight thousand and twenty-eight

A 28028 **B** 2800028 **C** 2828 **D** 280028

029
Which number says?
Sixty thousand and fifty-nine

A 6059 **B** 60095 **C** 600059 **D** 60059

030
Which number in figures is?
Thirty thousand eight hundred and seven

A 30807 **B** 308007 **C** 3087 **D** 3000807

031
Which number in figures is?
Ten thousand and fifteen

A 1000015 **B** 10015 **C** 1015 **D** 10105

032
Which number in figures is?
One hundred thousand

A 1000 **B** 100000 **C** 10000 **D** 1000000

033
Which number in figures is?
One million

A 10000000 **B** 1100000 **C** 100000 **D** 1000000

NUMBER PATTERNS

Handy Hint
To find the missing number, take the first number from the second number and add your answer to the last number.

034
Can you find the next number in the pattern?
2, 4, 6, 8, 10, 12, __
A 11 **B** 13 **C** 14 **D** 15

035
Which of the numbers is next in the sequence?
3, 6, 9, 12, 15, 18, __
A 19 **B** 20 **C** 21 **D** 22

036
Can you find the missing number?
4, 8, 12, 16, 20, __
A 24 **B** 23 **C** 25 **D** 22

037
Which number is missing?
5, 10, 15, 20, 25, __, 35
A 37 **B** 33 **C** 34 **D** 30

NUMBER PATTERNS

038 Can you find the next number?
7, 14, 21, 28, 35, __

A 38   B 49   C 45   D 42

039 What is the next number please?
8, 16, 24, 32, 40, 48, __

A 50   B 56   C 54   D 60

040 Which number starts this sequence?
__, 18, 27, 36, 45, 54, 63

A 9   B 8   C 10   D 11

041 Can you find the next number
in this sequence?
2, 6, 10, 14, 18, 22, __

A 23   B 24   C 26   D 25

042 What is the next number which
fits the pattern?
1, 8, 15, 22, 29, 36, __

A 43   B 39   C 41   D 44

MISSING NUMBERS

Which of the numbers fit into the box
to complete the sum?

043

$3 + \square = 7$

A 4 **B** 5 **C** 6 **D** 7

044

$7 + \square = 13$

A 4 **B** 6 **C** 5 **D** 7

045

$14 + \square = 19$

A 2 **B** 4 **C** 5 **D** 6

046

$15 - 6 = \square$

A 8 **B** 9 **C** 11 **D** 10

047

$\square + 4 = 19$

A 14 **B** 13 **C** 15 **D** 16

048

$\square - 6 = 23$

A 25 **B** 29 **C** 28 **D** 30

ROUNDING NUMBERS

049 A number has been rounded to the nearest ten to give 370, which number was it?

A 364   **B** 369   **C** 377   **D** 375

050 What is 1111 to the nearest 10?

A 1110   **B** 1120   **C** 1100   **D** 1115

051 What is 25.65 to the nearest whole number?

A 27   **B** 25   **C** 26   **D** 25.5

052 When rounded to the nearest 100 what does 433 become?

A 300   **B** 500   **C** 400   **D** 450

053 What is 9.378 to the nearest whole number?

A 9   **B** 9.5   **C** 10   **D** 9.4

054 What is 564 to the nearest 10?

A 560   **B** 565   **C** 570   **D** 563

055 What is 1967.612 to the nearest whole number?

A 1967   **B** 1970   **C** 1968   **D** 2000

SQUARE NUMBERS

Work these out without a calculator.

056 What is 5 squared?

A 25   **B** 24   **C** 20   **D** 27

057 Can you find 7 squared?

A 49   **B** 36   **C** 54   **D** 56

058 I am thinking of a square number which is between 80 and 90. Which one is it?

A 82   **B** 85   **C** 87   **D** 81

059 Which of the numbers below is a square number?

A 45   **B** 21   **C** 36   **D** 66

060 Which of the numbers below is not a square number?

A 16   **B** 25   **C** 32   **D** 9

FRACTIONS

Handy Hint
The bottom number of a fraction is the name
of the fraction; it tells us how many parts the shape
or the number has been divided into.
This number is called the DENOMINATOR.

061 This rectangle has been cut into:

A 1/4s **B** 1/3s **C** 1/8s **D** 1/2s

062 This rectangle has been cut into:

A 1/4s **B** 1/3s **C** 1/2s **D** 1/5s

063 This rectangle has been cut into:

A 1/4s **B** 1/5s **C** 1/3s **D** 1/2s

064 This square has been cut into:

A 1/4s **B** 1/7s **C** 1/10s **D** 1/9s

065 This rectangle has been cut into:

A 1/12s **B** 1/8s **C** 1/10s **D** 1/4s

FRACTIONS

Handy Hint
The top number tells us how many of the parts we are using; it is called the NUMERATOR.

066 What fraction of this square is shaded?

A 1/4 **B** 1/3 **C** 1/2 **D** 1/5

067 What fraction of this rectangle is shaded?

A 1/2 **B** 3/4 **C** 5/8 **D** 2/3

068 What fraction of this rectangle is shaded?

A 1/4 **B** 3/10 **C** 3/7 **D** 3/8

069 What fraction of this rectangle is shaded?

A 7/12 **B** 3/4 **C** 5/8 **D** 2/3

070 What fraction of this rectangle is shaded?

A 1/2 **B** 7/8 **C** 3/4 **D** 2/3

FRACTIONS

071 Which number is 1/2 of 24?
A 9 B 12 C 10 D 11

072 Which number is 1/2 of 16?
A 12 B 9 C 6 D 8

073 Which number is 1/4 of 20?
A 6 B 7 C 8 D 5

074 Which number is 1/3 of 27?
A 9 B 10 C 13 D 8

075 Which number is 1/3 of 33?
A 10 B 12 C 11 D 9

076 Which number is 1/2 of 16?
A 12 B 8 C 9 D 6

077 Which number is 1/5 of 40?
A 7 B 8 C 6 D 9

078 What fraction of 15 is 5?
A 1/5 B 1/4 C 1/3 D 1/2

DECIMALS

Handy Hint
When adding decimals, start with the number on the right and add each digit. If you get more than ten, carry the 1 over to the next column on the left.

079 Which of the following numbers says three point six?

A 30.6 **B** 3.06 **C** 3.6 **D** 36

080 Which number says twenty-five point two?

A 252 **B** 0.252 **C** 2.52 **D** 25.2

081 Which number says ninety-nine point four?

A 9.94 **B** 99.4 **C** 0.994 **D** 994

082 Which number is 1/10th written as a decimal?

A 10.0 **B** 0.01 **C** 1.0 **D** 0.1

083 Which number is 5/10th written as a decimal?

A 0.05 **B** 5.0 **C** 0.5 **D** 50.0

084 Which number is 3/5th written as a decimal?

A 0.06 **B** 6.0 **C** 60.0 **D** 0.6

DECIMALS

085

3.17 3.71 3.70 3.07
Which is the highest number?

A 3.71 **B** 3.17 **C** 3.70 **D** 3.07

086

0.8 0.78 0.87 0.9
Which is the highest number?

A 0.8 **B** 0.9 **C** 0.87 **D** 0.78

087

Add together 105.6 and 67.8
Which option is the correct answer?

A 173.4 **B** 172.6 **C** 17.34 **D** 173.8

088

If you take 0.67 from 1.5
how much will you have?

A 0.75 **B** 0.96 **C** 1.03 **D** 0.83

089

How much is 5 times 0.57?

A 2.75 **B** 3.05 **C** 2.85 **D** 2.57

090

What is the answer to 0.1 x 0.6?

A 0.6 **B** 0.1 **C** 0.006 **D** 0.06

MULTIPLES

Handy Hint
A multiple of a number appears in the times table of that number.

091 Which number is a multiple of 4?
A 14 B 24 C 18 D 26

092 Which number is a multiple of 6?
A 16 B 26 C 36 D 46

093 Below is a multiple of 7.
Which number is it?
A 12 B 44 C 32 D 28

094 One of the numbers shown is a multiple of 8.
Can you find it?
A 54 B 68 C 72 D 76

095 Can you find the number which is a multiple of both 6 and 5?
A 65 B 58 C 43 D 60

096 Which number is a multiple of 2, 3, 4, 6, 8 and 12?
A 16 B 20 C 24 D 28

MULTIPLES

097
Can you find the number which is the multiple of both 7 and 9?

A 54 **B** 63 **C** 74 **D** 43

098
Can you find the number which is the multiple of both 6 and 8?

A 32 **B** 18 **C** 28 **D** 24

099
Which number is a multiple of 3, 5 and 9?

A 54 **B** 49 **C** 45 **D** 63

100
Find the number which is the multiple of 2 and 3 and 8.

A 18 **B** 16 **C** 24 **D** 26

101
Which number is a multiple of 8, 7 and 2?

A 63 **B** 56 **C** 67 **D** 72

102
Which number is a multiple of 2, 3, 4, 6, 8, 9, 12 and 18?

A 48 **B** 60 **C** 24 **D** 36

FACTORS

Handy Hint
Factors are numbers which divide into other numbers without a remainder.

103 What are the factors of 8?

A 1, 4, 2 and 8

B 1, 4, 3, and 8

C 1, 3, 2 and 8

D 1, 5, 2 and 8

104 What are the factors of 16?

A 1, 2, 3, 16

B 1, 3, 5, 16

C 1, 2, 4, 8, 16

D 1, 2, 4, 5, 16

105 Which numbers are the factors of 20?

A 1, 2, 4, 6, 10, 20

B 1, 2, 4, 5, 10, 20

C 1, 2, 3, 4, 5, 10

D 1, 2, 6, 10, 12, 20

106 Can you spot the factors of 36?

A 1, 2, 3, 4, 5, 18, 36

B 1, 2, 3, 4, 6, 7, 12, 18, 36

C 1, 2, 3, 4, 6, 8, 9, 36

D 1, 2, 3, 4, 6, 9, 12, 18, 36

107 Which set of numbers give the factors of 48?

A 1, 2, 3, 4, 6, 8, 24, 48

B 1, 2, 4, 7, 8, 9, 12, 16, 24, 48

C 1, 2, 3, 4, 5, 8, 12, 16

D 1, 2, 3, 4, 6, 8, 12, 16, 24, 48

WORD FORMULAS

108 If a can of orange juice lasts Tim 2 hours, how long will 3 cans last him?

A 6 hours **B** 3 hours **C** 5 hours **D** 4 hours

109 Mrs. Jones works out how many sweets per week each of her children can have by using the formula:
Number of sweets = age in years x 3
How many sweets can little Tommy, aged 7, have each week?

A 20 **B** 21 **C** 22 **D** 16

110 If he has the same number of sweets every day, how many sweets can Tommy have each day?

A 4 **B** 5 **C** 3 **D** 6

111 If an alien eats 12 space fish and 4 Jupiter Bars every meal and he has 6 meals every time he flies to Venus then how many space fish will he eat on 5 trips to Venus?

A 440 **B** 360 **C** 420 **D** 350

WORD FORMULAS

112 How many Jupiter Bars will he eat?

A 150   **B** 120   **C** 140   **D** 160

113 If three monsters weigh the same as seven mini-monsters, how many mini-monsters will weigh the same as nine monsters?

A 21   **B** 27   **C** 25   **D** 5

114 How many monsters weigh the same as 35 mini-monsters?

A 21   **B** 18   **C** 15   **D** 12

115 If one monster ate his own weight in mini-monsters, how many mini-monsters would he eat?

A Two and a half   **B** Two and a quarter
C Three and a quarter   **D** Two and one third

116 If spiders have eight legs and flies have six legs, how many legs will 5 spiders and 9 flies have?

A 92   **B** 96   **C** 94   **D** 90

WORD FORMULAS

117 How many legs will 6 spiders or 8 flies have?

A 48   B 49   C 45   D 52

118 How many legs are there on 12 spiders and 12 flies?

A 166   B 154   C 162   D 168

119 How many legs do 20 spiders and 15 flies have?

A 268   B 250   C 270   D 267

120 There are 16 marbles in one bag and twice as many in another. How many are in the two bags together?

A 48   B 45   C 50   D 52

121 Mother bought 160 bulbs. Of these, 86 were daffodils and the rest tulips. How many were tulips?

A 74   B 64   C 54   D 84

SHAPES

Can you answer the following questions?

122

What is the name of this shape?

A Cube **B** Square **C** Circle **D** Oval

123

This shape is called a:

A Triangle **B** Square **C** Rectangle **D** Hexagon

124

This shape is called a:

A Circle **B** Triangle **C** Pentagon **D** Square

125

This shape is called a:

A Rectangle **B** Triangle **C** Square **D** Circle

SHAPES

126 Which shape is called a semicircle?

A ⬡ B ◠ C ⬭ D ◯

127 Which shape is known as a pentagon?

A ▱ B ⬠ C ▲ D ◻

128 This shape is called a:

A Pentagon B Trapezium C Rectangle D Hexagon

129 This shape is called a:

A Square B Triangle C Parallelogram D Circle

130 Which shape is called a cube?

A ◻ B ▱ C ⬛ D ▱

SHAPES

131 How many corners does a circle have?

A. 0 B. 4 C. 6 D. 8

132 Half a circle is called a:

A. Cube B. Square C. Triangle D. Semicircle

133 What shape is an egg?

A. Pentagon B. Circle C. Square D. Oval

134 Which two shapes have no corners?

A. Square and Triangle B. Circle and Oval
C. Cube and Pentagon D. Oval and Semicircle

135 A shape with three sides is called a:

A. Triangle B. Circle C. Square D. Octagon

136 An oval has __ corners.

A. 8 B. 6 C. 0 D. 2

137 A square has __ corners.

A. 4 B. 5 C. 6 D. 2

SHAPES

138 A rectangle has __ sides.

A 4 B 2 C 6 D 5

139 How many do you get if you add the
number of sides of a triangle to
the number of corners of a square?

A 5 B 7 C 6 D 8

140 How many sides are there on three squares?

A 10 B 14 C 12 D 16

141 How many sides will seven triangles have?

A 18 B 21 C 24 D 27

142 How many corners are there
on ten semicircles?

A 16 B 18 C 20 D 22

143 How many sides will six squares have?

A 16 B 24 C 22 D 18

SHAPES

144 How many straight sides does a semicircle have?

A 0   **B** 1   **C** 2   **D** 4

145 Which shape has one side less than a square?

A Triangle   **B** Circle   **C** Semi circle   **D** Rectangle

146 Which shape is the odd one out?

A Circle   **B** Oval   **C** Square   **D** Semicircle

147 Which shape has the smallest number of corners?

A Square   **B** Triangle   **C** Semicircle   **D** Rectangle

148 This book is in the shape of a:

A Rectangle   **B** Square   **C** Circle   **D** Triangle

149 Which of the following is in the shape of a triangle?

A Pyramid   **B** House   **C** Moon   **D** Ball

SHAPES

150 Which of the following objects is semicircular?

A Star B Sun C Rainbow D Clouds

151 Which of the following objects are square or rectangular?

A TV screen B Football C Egg D Ring

152 Take the number of corners of a triangle and add to the number of corners of a semicircle you will have the same as the number of corners on a:

A Pentagon B Hexagon C Square D Oval

153 The number of sides of an octagon added to the number of sides of a trapezium gives the answer:

A 8 B 10 C 14 D 12

154 If you cut all the corners off a square, you will make which shape?

A Hexagon B Pentagon C Octagon D Decagon

SHAPES

155 The cell in a honeycomb is in the shape of a:

A Decagon **B** Octagon **C** Hexagon **D** Pentagon

156 The number of corners on a hexagon is the same as the number of corners on:

A Two squares **B** Two parallelograms

C Two pentagons **D** Two triangles

157 Take the number of sides of a pentagon and add the number of sides of a trapezium. How many will you have?

A 6 **B** 9 **C** 10 **D** 8

158 The number of edges on a cube is the same as the number of sides on:

A Two hexagons **B** Two circles

C Two triangles **D** Three triangles

159 How many sides are there on three squares?

A 10 **B** 16 **C** 14 **D** 12

SHAPES

160 If you take away the number of sides of a triangle from the number of corners of a cube, you will get the answer:

A 5 **B** 7 **C** 3 **D** 6

161 Take the number five from the number of sides that an octagon has and you are left with the number:

A 3 **B** 4 **C** 5 **D** 6

162 The headquarters of the U.S. Army is housed in a building of five equal sides. It is called the .... Building.

A Hexagon **B** Octagon **C** Pentagon **D** Decagon

163 A dinner plate is usually in the shape of a:

A Rectangle **B** Circle **C** Square **D** Trapezium

164 Which shape is sometimes the shape of a pentagon?

A Open Envelope **B** Book **C** Door **D** Shoe

If you're 7 or 8, then these topics may be a little too hard but come back to each one as you cover it in school. If you're 9, then some of the questions may be a bit challenging but you can certainly try and then come back to them when you've learnt them.
If you're 10 or 11, these should be just fine.

Handy Hint
A flat shape which has three or more sides is called a POLYGON.

165 Polygons with sides of equal length, opposite sides parallel and with four right angles are called:

A Triangles **B** Squares **C** Kites **D** Rectangles

166 Polygons with four sides, no right angles and only two sides parallel are called:

A Pentagons **B** Trapeziums

C Rectangles **D** Rhombus

167 A polygon which has opposite sides parallel and the same length and has four right angles is called a:

A Rectangle **B** Kite **C** Rhombus **D** Square

168 A polygon with opposite sides which are parallel and equal, opposite angles are equal but has no right angles is called a:

A Square **B** Triangle **C** Kite **D** Parallelogram

MORE SHAPES

169 A polygon with two pairs of equal sides which are adjacent is called a:

A Kite **B** Rhombus **C** Parallelogram **D** Trapezium

170 A polygon which is a parallelogram but has all the sides the same length and contains no right angles is called a:

A Square **B** Kite **C** Rhombus **D** Rectangle

171 A polygon which has seven sides is called a:

A Hexagon **B** Heptagon **C** Nonagon **D** Decagon

172 A polygon which has nine sides is called a:

A Hexagon **B** Nonagon **C** Heptagon **D** Decagon

173 A polygon which has ten sides is called a:

A Hexagon **B** Nonagon **C** Decagon **D** Heptagon

174 A triangle which has all sides the same length is called:

A Right angled **B** Scalene
C Equilateral **D** Isosceles

MORE SHAPES

175 A triangle which has no sides the same length is called:

A Right angled   B Isoceles

C Equilateral   D Scalene

176 A triangle which contains a 90 degree corner is called:

A Scalene   B Right angled

C Equilateral   D Isosceles

177 A triangle which has two sides the same length is called:

A Right angled   B Scalene

C Equilateral   D Isosceles

178 A 3D shape which has six sides all the same length but has eight corners is called a:

A Square   B Triangle   C Cube   D Circle

179 If you cut the corners off a triangle, what shape would it make?

A Square   B Pentagon

C Rectangle   D Hexagon

180 What is the mathematical name of the shape of a tin can?

A Cylinder **B** Isosceles **C** Kite **D** Rhombus

181 What is the mathematical name for the shape of an egg?

A Sphere **B** Ellipse **C** Tetrahedron **D** Cuboid

182 What is the mathematical name given to a five-pointed star?

A Pentagram **B** Octagon
C Hexagon **D** Hectogram

183 What is the mathematical name for two lines that meet at a corner?

A Base **B** Side **C** Edge **D** Angle

184 What is the mathematical name for the shape of a ball?

A Quadrilateral **B** Tetrahedron
C Sphere **D** Cuboid

185 What is the mathematical name for the shape of a brick?

A Quadrilateral   B Sphere

C Pyramid   D Cuboid

186 What is the mathematical name for two lines on the same surface which never meet?

A Angle   B Parallel

C Vertex   D Perpendicular

187 What is the mathematical name of an equilateral pyramid?

A Sphere   B Cylinder

C Tetrahedron   D Pentagram

188 What is the mathematical name given to a shape which has four sides of unequal length?

A Scalene triangle   B Trapezium

C Rhombus   D Quadrilateral

PERIMETERS

Handy Hint
To find the perimeter of a shape add
together the lengths of all the sides.

189 What is the perimeter of a rectangle which
is 94 units long and 56 units wide?

A 160 **B** 250 **C** 300 **D** 320

190 What is the perimeter of an equilateral triangle
which has sides which are 17 units long?

A 61 **B** 45 **C** 54 **D** 51

191 What is the perimeter of a kite
which has two sides 13 units long and
two sides 37 units long?

A 97 **B** 83 **C** 100 **D** 110

192 What is the perimeter of a parallelogram
which has two sides 47 units long and two
sides 34 units long?

A 155 **B** 162 **C** 165 **D** 167

PERIMETERS

193 Can you find the perimeter of an isosceles triangle with two sides 32 units long and one side 27 units long?

A 89 B 95 C 93 D 91

194 How long is the perimeter of a pentagon which has all sides 13 units long?

A 61 B 63 C 65 D 67

195 What is the perimeter of an octagon which has all sides 17 units long?

A 125 B 142 C 136 D 144

196 Can you find the perimeter of a scalene triangle which has one side 21 units long, one side 35 units long and one side 12 units long?

A 65 B 68 C 69 D 70

197 What is the length of the sides of a square which has a perimeter of 60 units?

A 12 B 14 C 16 D 15

PERIMETERS

198 What is the length of the sides of a rhombus which has a perimeter of 76 units?

A 19   **B** 20   **C** 22   **D** 23

199 Can you find the length of the sides of an equilateral triangle which has a perimeter of 108 units?

A 34   **B** 38   **C** 36   **D** 40

200 What are the lengths of the sides of a pentagram which has a perimeter of 345 units?

A 63   **B** 69   **C** 34.5   **D** 73.5

201 A square field has sides of 23 units. How much fencing is needed to go around it?

A 89   **B** 91   **C** 94   **D** 92

202 An oil painting measures 35.5 units by 74.5 units. What is the total length of frame needed to go around it?

A 200   **B** 210   **C** 215   **D** 220

AREAS of QUADRILATERALS

Handy Hint
To find the area of a quadrilateral, multiply together
two lengths which are at right angles to each other.

203 Which of the options below is the area of a
square with sides of 25 units in length?

- **A** 625 sq units
- **B** 500 sq units
- **C** 650 sq units
- **D** 50 sq units

204 What is the area of a rectangle which has a
length of 18 units and a width of 12 units?

- **A** 225 sq units
- **B** 216 sq units
- **C** 186 sq units
- **D** 226 sq units

205 Can you find the area of a rectangle
which has a length of 12 units and
a width of 14 units?

- **A** 144 sq units
- **B** 164 sq units
- **C** 168 sq units
- **D** 150 sq units

206 If a square has an area of 144 sq units
what is the length of the sides?

- **A** 11 units x 11 units
- **B** 12 units x 12 units
- **C** 14 units x 14 units
- **D** 8 units x 18 units

AREAS of QUADRILATERALS

207
If a square has an area of 225 sq units what are the lengths of the sides?

A 16 units x 15 units
B 15 units x 15 units
C 16 units x 16 units
D 17 units x 17 units

208
A rectangle has an area of 96 sq units if the length is 12 units, what is the width?

A 8 units   B 9 units   C 10 units   D 7 units

209
A rectangle with a width of 9 units has an area of 117 sq units how long is it?

A 15 units   B 14 units   C 13 units   D 16 units

210
A square has an area of 324 sq units what are the lengths of the sides?

A 17 units x 17 units
B 19 units x 19 units
C 16 units x 16 units
D 18 units x 18 units

211
Can you find the area of a square which has sides 15 units in length?

A 30 sq units
B 150 sq units
C 225 sq units
D 275 sq units

AREAS of QUADRILATERALS

212 A rhombus has sides which are each 4 units long and it has a height of 3 units. What is its area?

A 12 sq units
B 16 sq units
C 14 sq units
D 11 sq units

213 A rhombus has an area of 32 sq units. If the length of the sides are each 4 units long, how high is it?

A 6 units
B 10 units
C 12 units
D 8 units

214 A parallelogram has a base and a top each of which are 10 units long. The other two sides are 3 units long and the height is 2 units. What is the area of the parallelogram?

A 30 sq units
B 20 sq units
C 25 sq units
D 15 sq units

215 A parallelogram has an area of 102 sq units. If the height is 8.5 units, how long is the base?

A 12 units
B 11 units
C 10 units
D 13 units

216 A parallelogram has an area of 144 sq units. If the base is 16 units long, how high is it?

A 9 units
B 10 units
C 11 units
D 12 units

AREAS of TRIANGLES

Handy Hint
To find the area of any triangle, multiply the base by the height and divide by two.

217 What is the area of a triangle which has a height of 5 units and a base of 8 units?

A 25 sq units

B 40 sq units

C 24 sq units

D 20 sq units

218 What is the area of a triangle which has a base of 10 units and a height of 7 units?

A 35 sq units

B 60 sq units

C 45 sq units

D 70 sq units

219 If a triangle has a base of 15 units and a height of 12 units, what is its area?

A 180 sq units

B 95 sq units

C 85 sq units

D 90 sq units

220 A triangle with a height of 5.5 units and a base 10.5 units has an area of:

A 28.875 sq units

B 27.75 sq units

C 29.25 sq units

D 28.5 sq units

AREAS of TRIANGLES

221 If a triangle has an area of 28 sq units and half the height is 4 units, what is the length of the base?

A 6 units **B** 7 units **C** 8 units **D** 9 units

222 A triangle has an area of 45 sq units and half its base is 4.5 units. How high is it?

A 8 units **B** 10 units **C** 9 units **D** 11 units

223 If a triangle has a height of 24 units and an area of 144 sq units, how long is the base?

A 15 units **B** 6 units **C** 10 units **D** 12 units

224 A triangle with a base of 8.5 units and a height of 6 units has an area of:

A 26.25 sq units **B** 24 sq units
C 25.5 sq units **D** 27 sq units

225 A right-angled triangle whose height and base are both the same length has an area of 50 sq units. What is the length of the two sides?

A 12 units **B** 25 units **C** 10 units **D** 14 units

LINES of SYMMETRY

Handy Hint
A line of symmetry is a line on a shape drawn where one side of the shape is identical to the other. This is sometimes called a mirror line.

226 How many lines of symmetry does a square have?

A 4 **B** 3 **C** 2 **D** 1

227 How many lines of symmetry does a rectangle have?

A 1 **B** 3 **C** 4 **D** 2

228 How many mirror lines can you find on an equilateral triangle?

A 2 **B** 4 **C** 6 **D** 3

229 How many mirror lines can you find on an isosceles triangle?

A 0 **B** 1 **C** 3 **D** 4

230 How many lines of symmetry does a scalene triangle have?

A 0 **B** 1 **C** 2 **D** 4

Can you find the missing number in the following questions?

231 A rhombus has __ lines of symmetry.

A 1   **B** 3   **C** 2   **D** 4

232 A parallelogram has __ lines of symmetry.

A 0   **B** 2   **C** 4   **D** 6

233 A kite has __ lines of symmetry.

A 1   **B** 2   **C** 3   **D** 4

234 A regular pentagon has __ lines of symmetry.

A 3   **B** 5   **C** 7   **D** 10

235 A hexagon has __ lines of symmetry.

A 4   **B** 8   **C** 6   **D** 12

236 This arrow has __ lines of symmetry.

A 2   **B** 1   **C** 3   **D** 4

237 An octagon has __ lines of symmetry.

A 4   **B** 6   **C** 8   **D** 12

CIRCLES

238 The perimeter of a circle is called the:

A Diameter **B** Circumference **C** Chord **D** Radius

239 A line which passes from one side of the circle to the other and which goes through the middle of the circle is called the:

A Radius **B** Diameter **C** Chord **D** Arc

240 A line which goes from the middle point of the circle to the edge is called the:

A Radius **B** Segment **C** Arc **D** Chord

241 A line which goes from one side of the circle to the other without passing through the middle point is called the:

A Radius **B** Arc **C** Chord **D** Circumference

242 A small section of the perimeter of the circle is called the:

A Chord **B** Diameter **C** Arc **D** Circumference

MORE FRACTIONS

Handy Hint
The bottom number gives the name of
the fraction; it tells us how many parts the
shape or the number has been divided into.
This number is called the DENOMINATOR.

243
What fraction of 49 is 7?
- **A** 1/7
- **B** 1/8
- **C** 1/6
- **D** 1/5

244
What fraction of 72 is 9?
- **A** 1/8
- **B** 1/9
- **C** 1/10
- **D** 1/7

245
What fraction of 96 is 24?
- **A** 1/3
- **B** 1/5
- **C** 1/4
- **D** 1/2

246
What fraction of 132 is 11?
- **A** 1/12
- **B** 1/8
- **C** 1/10
- **D** 1/9

247
What fraction of 105 is 35?
- **A** 1/3
- **B** 1/4
- **C** 1/2
- **D** 1/5

248
What fraction of 150 is 25?
- **A** 1/2
- **B** 1/8
- **C** 1/3
- **D** 1/6

MORE FRACTIONS

Handy Hint
The top number tells us how many of the parts
we are using; it is called the NUMERATOR.
If the top number (numerator) and the
bottom number (denominator) can both
be divided or multiplied by the same figure,
then we have equal fractions.
For example: 1/2 = 2/4 = 4/8 = 8/16

249 Which fraction is equal to 1/4?
A 4/6　**B** 3/8　**C** 2/8　**D** 3/7

250 2/5 is the same as:
A 3/8　**B** 5/9　**C** 4/10　**D** 3/7

251 Which fraction is equal to 1/3?
A 2/5　**B** 3/6　**C** 3/5　**D** 2/6

252 3/4 is the same as:
A 5/8　**B** 6/8　**C** 4/9　**D** 2/6

253 Which fraction is the same as 5/8?
A 10/16　**B** 4/12　**C** 4/13　**D** 9/12

MORE FRACTIONS

254 9/27 has the same value as:
A 1/4   B 2/3   C 1/5   D 1/3

255 9/39 has the same value as:
A 3/13   B 2/15   C 3/7   D 5/18

256 Which fraction is the same as 6/9?
A 2/3   B 2/5   C 3/4   D 5/8

257 Which fraction is equal to 7/42?
A 2/5   B 3/4   C 1/6   D 3/7

258 Which fraction is equal to 8/56?
A 1/4   B 1/7   C 2/9   D 5/12

259 13/52 has the same value as:
A 1/4   B 2/5   C 1/3   D 2/7

260 24/72 has the same value as:
A 1/2   B 1/3   C 1/4   D 1/5

BAR CHARTS

A survey was conducted looking into the types of of eyes found in a group of children. Here is a bar chart showing the results. Study the chart and answer the questions below.

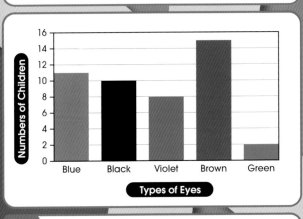

261 How many children have blue eyes?

A 10 B 11 C 15 D 8

262 How many children have green eyes?

A 10 B 4 C 11 D 2

263 How many children have brown eyes?

A 2 B 11 C 8 D 15

264 How many children have black eyes?

A 10 B 8 C 7 D 12

265 How many children in the group have violet eyes?

A 10 B 7 C 8 D 2

266 How many children were in the group?

A 48 B 46 C 50 D 42

267 How many children in the group have either brown or blue eyes?

A 20 B 26 C 28 D 30

268 How many children in the group have either green or black eyes?

A 2 B 15 C 12 D 10

269 How many children in the group have either violet or brown eyes?

A 20 B 21 C 23 D 22

270 How many children in the group have hazel eyes?

A 2 B 8 C 10 D 0

The line graph shows the daily recorded temperatures for a week taken in the coastal town of Puddleton. Study the chart and then answer the questions below.

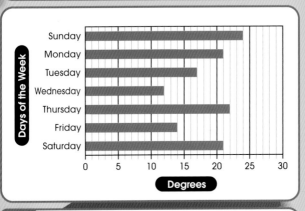

271 Which day of the week was the warmest?

A Monday **B** Sunday **C** Friday **D** Wednesday

272 What was the temperature on the warmest day?

A 15° **B** 19° **C** 28° **D** 24°

273 Which day was the coldest day?

A Friday **B** Thursday **C** Wednesday **D** Monday

LINE GRAPHS

274 What was the temperature on the warmest day?

A 10° B 15° C 18° D 12°

275 What was the recorded temperature on Monday?

A 21° B 30° C 25° D 15°

276 What was the recorded temperature on Tuesday?

A 10° B 17° C 12° D 20°

277 What was the recorded temperature on Thursday?

A 22° B 15° C 12° D 28°

278 What was the recorded temperature on Friday?

A 20° B 25° C 10° D 14°

279 What was the recorded temperature on Saturday?

A 17° B 25° C 21° D 30°

280 What was the recorded temperature on Sunday?

A 17° B 28° C 25° D 24°

PICTOGRAMS

This pictogram shows the most-liked fruits of a group of pupils.

Preferred Fruit	Number of Pupils
Apples	⭐ ⭐ ⭐ ⭐ ⭐ ⭐
Oranges	⭐ ⭐ ⭐ ⭐ ⭐ ⭐ ⭐
Strawberries	⭐ ⭐ ⭐ ⭐
Bananas	⭐ ⭐
Pears	⭐ ⭐ ⭐

⭐ Represents two pupils

281 How many pupils prefer bananas?

    A 5   **B** 4   **C** 6   **D** 2

282 How many pupils like oranges?

    A 10   **B** 6   **C** 14   **D** 8

283 How many pupils think pears are best?

    A 4   **B** 10   **C** 8   **D** 6

284 How many pupils were questioned?

    A 40   **B** 46   **C** 44   **D** 36

PICTOGRAMS

285 How many pupils don't prefer bananas?

A 30 **B** 44 **C** 42 **D** 40

286 12 pupils liked apples best.
How many more preferred oranges?

A 6 **B** 4 **C** 2 **D** 0

287 Which fruit is most liked by the majority of the pupils?

A Apples **B** Oranges **C** Bananas **D** Pears

288 Which fruit is the least liked among the pupils?

A Apples **B** Pears **C** Oranges **D** Bananas

289 How many pupils like oranges or strawberries?

A 18 **B** 15 **C** 22 **D** 20

290 How many pupils preferred bananas or pears?

A 6 **B** 12 **C** 10 **D** 4

291 How many pupils preferred grapes or peaches?

A 2 **B** 0 **C** 3 **D** 4

TIME CONVERSION

Handy Hint
60 seconds = 1 minute
60 minutes = 1 hour
24 hours = 1 day

292 How many seconds are there in 20 minutes?
- **A** 1000
- **B** 1100
- **C** 1500
- **D** 1200

293 How many minutes are there in 8 hours?
- **A** 480
- **B** 580
- **C** 520
- **D** 560

294 How many hours are there in 3 days?
- **A** 74
- **B** 60
- **C** 72
- **D** 64

295 How many minutes are there in one and a half hours?
- **A** 75
- **B** 90
- **C** 85
- **D** 95

296 How many seconds are there in three and a quarter minutes?
- **A** 180
- **B** 215
- **C** 200
- **D** 195

297 How many hours make one week?
- **A** 152
- **B** 154
- **C** 164
- **D** 168

TIME CONVERSION

298 What time is half past one in the morning?

A 1:30 am   B 1:50 pm   C 1:50 am   D 1:30 pm

299 Which of the times says a quarter to three in the afternoon?

A 2:75 pm   B 2:45 pm   C 2:45 am   D 2:75 am

300 Which of the times says 4:20 pm when read on a 24 hour clock?

A 14:20   B 4:20   C 16:20   D 18:20

301 Which of the times shows the time is midnight on a 24 hour clock?

A 24:00   B 0:00   C 12:00   D 10:00

302 Which of the times shows midnight on a 12 hour clock?

A 12:00 am   B 12:00 pm   C 0:00   D 24:00

303 Which of the times shows midday on a 12 hour clock?

A 12:00 pm   B 12:00 am   C 11:00 am   D 14:00 pm

304 Which time shows a quarter to eight at night?

A 18:45   B 19.15   C 19:45   D 20:45

THE CALENDAR

305 How many days are there in a leap year?

A 365 **B** 364 **C** 360 **D** 366

306 How many days in ten years with 3 leap years?

A 3650 **B** 3600 **C** 3653 **D** 3560

307 How many days are there in the month immediately before the month of October?

A 30 **B** 31 **C** 29 **D** 28

308 Which of the years listed below was a leap year?

A 1990 **B** 1991 **C** 1994 **D** 1992

309 How many months of the year have 31 days?

A 5 **B** 7 **C** 6 **D** 8

310 Which of these months has 30 days?

A June **B** May **C** July **D** August

311 Which date is 4 weeks later than the 19th of March?

A 16th April **B** 15th April **C** 14th April **D** 17th April

THE CALENDAR

312 If the 15th of January falls on a Saturday what is the date of the last Saturday in that month?

A 28th **B** 31st **C** 30th **D** 29th

313 What are the dates of the other three Saturdays in that month?

A 1st, 8th, 22nd **B** 2nd, 8th, 23rd

C 1st, 8th, 21st **D** 1st, 7th, 23rd

314 A man was born on the 29th of November 1939, and died on the 2nd of December 1999. How old was he exactly when he died?

A 59 yrs 3 days **B** 59 yrs 4 days

C 60 yrs 4 days **D** 60 yrs 3 days

315 If the 15th of the month is a Monday, on which day of the month does the 26th fall?

A Friday **B** Thursday

C Wednesday **D** Saturday

316 A boy said, "In 33 years time I will be 4 times my present age. How old am I now?"

A 9 **B** 11 **C** 10 **D** 8

This is the most difficult section. Whatever age you are you can tackle it, even if you haven't covered everything in school yet. Don't worry if it's too hard, you only get better with learning and practice. Good luck.

NUMBERS in BRACKETS

Handy Hint
To find the answer to this type of sum, work out the brackets first and then complete the sum.
(5 – 3) + (7 – 4) becomes 2 + 3 which makes 5.

317
Can you find the answer to this sum?
$$(4 - 2) + (5 - 4) =$$
A 1 B 3 C 2 D 4

318
And this one?
$$(6 - 2) + (5 - 1) =$$
A 6 B 7 C 9 D 8

319
How about this one?
$$(10 - 2) + (7 - 4) =$$
A 8 B 10 C 11 D 12

320
Now try this one.
$$(12 - 5) + (8 - 3) =$$
A 11 B 13 C 12 D 14

321
Watch out! This one is different.
$$(3 + 4) - (5 - 2) =$$
A 4 B 3 C 2 D 5

NUMBERS in BRACKETS

322 Different again.

$$(10 - 2) - (5 - 3) =$$

A 4   **B** 3   **C** 5   **D** 6

323 And again.

$$(12 - 7) + (2 + 5) =$$

A 8   **B** 10   **C** 14   **D** 12

324 How about this one?

$$(4 + 6) \times (3 + 2) =$$

A 56   **B** 50   **C** 64   **D** 45

325 Can you find the answer to this one?

$$(3 + 4) \times (2 + 3) =$$

A 35   **B** 24   **C** 14   **D** 38

326 This one is a bit different.

$$(5 \times 2) \times (4 \times 1) =$$

A 30   **B** 50   **C** 40   **D** 60

NUMBERS in BRACKETS

327

Just a little harder.

$(4 \times 5) - (9 \times 2) =$

A 2 **B** 1 **C** 3 **D** 4

328

This one's a bit tricky.

$(2 + 3) \times 4 + 2 =$

A 22 **B** 20 **C** 18 **D** 24

329

There is no catch in this one.

$(10 - 2) \times (5 + 3) =$

A 56 **B** 64 **C** 63 **D** 62

330

But there is in this one.

$10 - (2 \times 5) + 3 =$

A 5 **B** 2 **C** 3 **D** 1

331

And in this one.

$(10 - 2) \times 5 + 3 =$

A 34 **B** 43 **C** 23 **D** 32

332

This sum is rather tricky.

$(3 \times 6) \div (3 \times 3) =$

A 3 **B** 4 **C** 2 **D** 1

NUMBERS in BRACKETS

333 Now they are getting difficult.
$$(5 \times 6) \div (10 - 5) =$$
A 7 **B** 6 **C** 8 **D** 5

334 Keep going - you are doing well.
$$(12 \div 4) \times (20 \div 10) =$$
A 3 **B** 6 **C** 5 **D** 4

335 This one is a bit mixed up.
$$(14 - 6) + (7 \times 8) =$$
A 64 **B** 62 **C** 65 **D** 66

336 But not as mixed up as this one.
$$(9 \times 7) \div (10 - 3) =$$
A 8 **B** 10 **C** 9 **D** 7

337 How about this one?
$$(36 \div 3) \div (24 \div 8) =$$
A 1 **B** 2 **C** 4 **D** 3

Well done if you managed to complete all those sums. Now move on to the next section.

PERCENTAGES

Handy Hint
To find 10%, divide the number by 10.
To find 1%, divide your answer by 100.

338 What is 10% of 85?

A 8.5 **B** 10 **C** 8 **D** 5.8

339 What is 50% of 94?

A 47 **B** 45 **C** 50 **D** 52

340 What is 30% of 60?

A 20 **B** 19 **C** 18 **D** 16

341 What is 60% of 75?

A 45 **B** 40 **C** 55 **D** 35

342 What is 5% of 200?

A 10 **B** 20 **C** 15 **D** 25

343 What is 75% of 80?

A 45 **B** 65 **C** 50 **D** 60

344 What is 15% of 400?

A 50 **B** 70 **C** 60 **D** 80

PERCENTAGES

345 If 45% of pupils in a class are boys, what percentage are girls?

A 50% **B** 40% **C** 55% **D** 45%

346 If there are 20 pupils in the class, how many girls are there?

A 10 **B** 12 **C** 9 **D** 11

347 If 5% of the pupils in the class wear glasses, how many pupils wear glasses?

A 2 **B** 1 **C** 3 **D** 4

348 There are 270 boys at the school. If 60% of the boys play football, how many boys play football?

A 162 **B** 155 **C** 173 **D** 185

349 If there are 270 boys at the school and 55% of the pupils are girls, how many pupils go to that school?

A 625 **B** 550 **C** 650 **D** 600

350 54% of the pupils travel to school by car, 38% travel to school by bus and the rest walk. How many pupils walk to school?

A 48 **B** 44 **C** 46 **D** 50

MORE FRACTIONS

Handy Hint
If the top number (numerator) and the
bottom number (denominator) can both be
divided or multiplied by the same figure, then we
have equal fractions. For example:
1/2 = 2/4 = 4/8 = 8/16

351
Which fraction is the largest?
A 1/3 **B** 1/6 **C** 1/4 **D** 1/5

352
Which is the largest fraction?
A 3/5 **B** 5/8 **C** 2/3 **D** 5/16

353
Which fraction is the smallest?
A 3/16 **B** 3/32 **C** 1/8 **D** 5/16

354
Which is the smallest fraction?
A 1/8 **B** 1/5 **C** 1/4 **D** 1/6

355
How many 1/8ths make 4 whole ones?
A 12 **B** 32 **C** 27 **D** 24

MORE FRACTIONS

356 How many quarters make five whole ones?
- **A** 25 **B** 20 **C** 30 **D** 32

357 How many 1/16ths make seven eighths?
- **A** 12 **B** 16 **C** 15 **D** 14

358 How many eighths make three quarters?
- **A** 5 **B** 8 **C** 7 **D** 6

359 Which number is missing?
3/4 = 9/?
- **A** 12 **B** 10 **C** 8 **D** 6

360 48/108 has the same value as:
- **A** 2/19 **B** 3/17 **C** 4/9 **D** 1/3

361 How many tenths make 4/5ths?
- **A** 5 **B** 8 **C** 10 **D** 6

362 Can you find the missing numerator?
5/16 = ?/64
- **A** 15 **B** 20 **C** 18 **D** 22

MORE FRACTIONS

363

Can you find the missing denominator?
5/? = 10/18

A 6   B 12   C 9   D 8

364

Put the correct figure in place of
the question mark: 3/? = 1/7

A 14   B 24   C 21   D 28

365

Put the correct figure in place of
the question mark: ?/3 = 18/27

A 3   B 4   C 1   D 2

366

Put the correct figure in place of
the question mark: ?/9 = 28/36

A 5   B 7   C 6   D 8

367

Put the correct figure in place
of the question mark: ?/11 = 45/55

A 7   B 10   C 8   D 9

368

Put the correct figure in place of
the question mark: 1/3 = 6/?

A 15   B 21   C 18   D 12

Handy Hint
A fraction which has a larger numerator than denominator is called an improper fraction. It can be changed into whole numbers by dividing the top by the bottom.

369
How many whole numbers can you make from 6/2?

A 2 B 1 C 4 D 3

370
How many whole numbers can you make from 20/4?

A 5 B 3 C 4 D 2

371
How many whole numbers can you make from 27/9?

A 2 B 3 C 4 D 1

372
How many whole numbers can be made from 36/12?

A 3 B 2 C 4 D 5

373
How many whole numbers can be made from 64/8?

A 7 B 6 C 9 D 8

NEGATIVE NUMBERS

Handy Hint
If the two symbols in the middle of a sum are the same then add the numbers. -1 - -2 = 1
If the two symbols in the middle of a sum are different then subtract the numbers. 1 + -2 = -1

374
$$-2 + -3 =$$
A 5 **B** 3 **C** -5 **D** -6

375
$$2 + -3 =$$
A -6 **B** 3 **C** -5 **D** -1

376
$$-2 + 3 =$$
A 5 **B** 1 **C** -5 **D** -6

377
$$-2 - -3 =$$
A 5 **B** -5 **C** 1 **D** -6

378
$$2 - 3 =$$
A 5 **B** 3 **C** -5 **D** -1

379
$$-7 + -3 =$$
A 4 **B** 10 **C** -10 **D** -4

NEGATIVE NUMBERS

380 -6 + -3 =
A 4 B 3 C -3 D -9

381 -9 - -3 =
A 6 B 12 C -6 D -3

382 10 + -3 =
A -7 B 7 C 13 D 3

383 12 - -3 =
A 9 B 6 C -9 D 15

384 15 + -3 =
A 18 B 15 C 12 D 16

385 -12 + -13 =
A 25 B -1 C -25 D -20

386 -20 - -30 =
A 50 B 10 C -50 D 30

387 -25 + -3 =
A -22 B -20 C -25 D -28

NEGATIVE NUMBERS

388

$$-2 \times -3 =$$

A 6 B 5 C -5 D -6

389

$$-12 \times 3 =$$

A 25 B -25 C -36 D 36

390

$$-8 \times -3 =$$

A -24 B 24 C -15 D 32

391

$$-2 \times 13 =$$

A 26 B -23 C 25 D -26

392

$$-21 \div 3 =$$

A 5 B 7 C -6 D -7

393

$$25 \div -5 =$$

A -5 B 3 C 5 D -6

394

$$-27 \div -3 =$$

A 5 B 9 C -5 D -9

395

$$-45 \div 3 =$$

A 15 B 30 C -15 D -16

396

A man was 7 years old in 1969.
How old was he in 2004?

A 34   **B** 42   **C** 39   **D** 45

397

What number comes midway
between 37 and 95?

A 64   **B** 66   **C** 72   **D** 61

398

If you add together all the odd numbers
between 60 and 66, what answer do you have?

A 189   **B** 185   **C** 191   **D** 183

399

Joanne is 9 years old and Jack is 3.
How old will Joanne be when she is
twice as old as Jack?

A 10   **B** 11   **C** 12   **D** 14

400

Two numbers add together to make
35 and have a difference of 1.
What are the two numbers?

A 16 and 17   **B** 14 and 16
C 13 and 14   **D** 17 and 18

401

What is the smallest number which can be
divided by 3, 6 and 8, leaving no remainder?

A 20   **B** 36   **C** 24   **D** 48

NUMERICAL PROBLEMS

402 By how much is 91 greater than 27?

A 64   B 54   C 66   D 58

403 A woman was 58 years old in 2001. In which year was she born?

A 1954   B 1941   C 1948   D 1943

404 Add together the numbers between 17 and 27 which are multiples of 6.

A 38   B 42   C 40   D 39

405 A train leaves station A for station B at 10:35 am. If the journey takes two and a quarter hours, at what time does it arrive?

A 12:50 pm   B 12:55 pm   C 12:30 pm   D 12:45 pm

406 Which is the largest fraction?

A 5/8   B 6/10   C 7/12   D 9/16

407 Can you find the number which replaces the question mark? 2/3 = ?/57

A 24   B 27   C 32   D 38

408 How many seventeens make 85?

A 5   B 8   C 7   D 9

NUMERICAL PROBLEMS

409 What must be added to 999 to make 8755?

A 7575   **B** 7755   **C** 7766   **D** 7756

410 What number multiplied by itself gives 324?

A 18   **B** 16   **C** 15   **D** 19

411 If the time is now 16 minutes past midnight, what time will it be 5 hours 52 minutes later?

A 05:58   **B** 06:08   **C** 06:16   **D** 06:10

412 How much must be added to 19 times 5 to make 100?

A 10   **B** 5   **C** 12   **D** 15

413 A shop is open from 9 am until 5 pm Monday to Friday and from 9 am until noon on Saturdays. How many hours is it open each week?

A 40   **B** 45   **C** 48   **D** 43

414 Which number is 20 more than one half of ten thousand?

A 5010   **B** 5200   **C** 5020   **D** 5202

www.intelliquestbooks.com

NUMERICAL PROBLEMS

415
A man is now 43 years old; he was
35 when his son was born.
How old will the son be in 8 years time?

A 18 **B** 20 **C** 16 **D** 12

416
What is the distance around a rectangular
lawn whose sides are 7 units by 5 units?

A 24 **B** 22 **C** 20 **D** 26

417
I am thinking of a number. If I take 16
from it and then add 8, the answer is 42.
What number am I thinking of?

A 48 **B** 52 **C** 44 **D** 50

418
A square of concrete has an area of 169 square
units. What is the length of the perimeter?

A 44 **B** 46 **C** 48 **D** 52

419
A boy arrived at school at 09:11,
but he should have been there at 09:00.
How many seconds was he late?

A 640 **B** 660 **C** 620 **D** 600

420
What fraction of 6 minutes 40 seconds
is 1 minute 20 seconds?

A 1/5 **B** 1/3 **C** 1/2 **D** 1/4

ANGLES

421 An angle which is less than 90 degrees is called:

A Obtuse **B** Reflex **C** Acute **D** Right angle

422 An angle which is 90 degrees is called:

A Right angle **B** Reflex **C** Acute **D** Obtuse

423 An angle which is less than 180 and more than 90 degrees is called:

A Obtuse **B** Reflex **C** Acute **D** Right angle

424 An angle which is more than 180 degrees is called:

A Obtuse **B** Reflex **C** Acute **D** Right angle

425 How many degrees make a circle?

A 90° **B** 180° **C** 360° **D** 270°

426 How many degrees are there in a triangle?

A 90° **B** 180° **C** 270° **D** 360°

427 How many degrees are there in a straight line?

A 90° **B** 270° **C** 180° **D** 360°

SQUARE ROOTS

428 Which of the options below is the square root of 36?

A 5 B 6 C 4 D 7

429 Which number listed below is the square root of 64?

A 6 B 8 C 10 D 7

430 Can you find the square root of 81?

A 9 B 6 C 5 D 10

431 Which number is the square root of 49?

A 6 B 4 C 7 D 9

432 Which number is the square root of 100?

A 12 B 11 C 10 D 9

433 Can you find the square root of 144?

A 12 B 11 C 10 D 13

434 What is the square root of 121?

A 11 B 12 C 13 D 14

PROBABILITY

A box of chocolates contains 5 milk chocolates,
4 dark chocolates and 3 white chocolates.
If one chocolate is chosen at random,
what is the probability that it is a...

435 ...milk chocolate?

A 4/7   **B** 3/9   **C** 5/12   **D** 6/10

436 ...dark chocolate

A 4/12   **B** 3/7   **C** 5/8   **D** 6/12

437 ...white chocolate

A 3/12   **B** 5/12   **C** 4/12   **D** 6/9

If from the same box of chocolates you first ate a
milk chocolate, what is the probability that the next
chocolate chosen at random is a...

438 ...milk chocolate?

A 4/12   **B** 3/9   **C** 6/12   **D** 4/11

439 ...dark chocolate

A 5/12   **B** 3/12   **C** 4/11   **D** 4/12

440 ...white chocolate

A 5/11   **B** 4/12   **C** 3/11   **D** 3/12

COORDINATES

Study the graph below noting the
coordinates of each shape
and then answer the following questions.

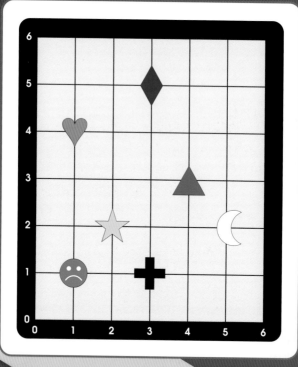

COORDINATES

441 What are the coordinates of the red heart?

A (1, 2) **B** (3, 5) **C** (3, 1) **D** (1, 4)

442 What are the coordinates of the yellow star?

A (1, 2) **B** (2, 2) **C** (1, 4) **D** (3, 1)

443 What are the coordinates of the sad face?

A (1, 1) **B** (3, 5) **C** (1, 4) **D** (3, 1)

444 What are the coordinates of the green triangle?

A (1, 1) **B** (4, 5) **C** (1, 4) **D** (4, 3)

445 What are the coordinates of the black cross?

A (3, 1) **B** (3, 5) **C** (1, 4) **D** (1, 2)

446 What are the coordinates of
the purple diamond?

A (3, 5) **B** (1, 2) **C** (1, 4) **D** (3, 1)

447 What are the coordinates of the white moon?

A (1, 4) **B** (3, 5) **C** (5, 2) **D** (3, 1)

PRIME NUMBERS

Handy Hint
A prime number is a number that will only
divide by itself and one.
A prime number will NOT:
Be an even number (except 2)
End with a five
Divide by three
Divide by seven

448 Which of the options below is a Prime Number?

A 4 **B** 11 **C** 9 **D** 6

449 Which of the options below is a Prime Number?

A 7 **B** 4 **C** 9 **D** 10

450 Which of the options below is
not a Prime Number?

A 2 **B** 9 **C** 3 **D** 11

451 Which of the options below is a Prime Number?

A 14 **B** 19 **C** 15 **D** 21

452 Which of the options below is a Prime Number?

A 44 **B** 36 **C** 27 **D** 31

453 Which of the options below is not a Prime Number?

A 97   B 101   C 79   D 91

454 One of the following numbers is not a prime. Can you find it?

A 51   B 41   C 61   D 71

455 One of the following numbers is a prime. Can you find it?

A 63   B 51   C 47   D 75

456 One of the following numbers is not a prime. Can you find it?

A 41   B 77   C 61   D 53

457 One of the following numbers is a prime. Can you find it?

A 52   B 47   C 81   D 91

458 One of the following numbers is not a prime. Can you find it?

A 101   B 151   C 161   D 173

3D SHAPES

Study this 3D shape and then answer the questions below.

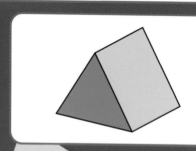

459 This shape is called a:

A Cube   **B** Cylinder   **C** Prism   **D** Pyramid

460 How many vertices (corners) does the shape have?

A 5   **B** 7   **C** 4   **D** 6

461 How many faces (sides) does the shape have?

A 8   **B** 5   **C** 6   **D** 9

462 How many edges does the shape have?

A 6   **B** 4   **C** 8   **D** 9

3D SHAPES

Study this 3D shape and then answer the questions below.

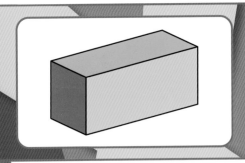

463 This shape is called a:

A Cube   **B** Cylinder   **C** Cuboid   **D** Prism

464 How many vertices (corners) does the shape have?

A 5   **B** 4   **C** 6   **D** 8

465 How many faces (sides) does the shape have?

A 6   **B** 8   **C** 5   **D** 9

466 How many edges does the shape have?

A 14   **B** 12   **C** 9   **D** 8

HANDLING DATA

Handy Hint

The MODE is the number which occurs most often.
The MEDIAN is the middle number when placed in
numerical order. To find the MEAN, add the
numbers together and divide by the number of
numbers. The RANGE is biggest minus the smallest.

7, 5, 6, 5, 3, 3, 4, 6, 2, 6, 8

Study the set of data above and then, without the
aid of a calculator, answer the questions below.

467 Which of the numbers is the Median?

A 5 **B** 3 **C** 6 **D** 7

468 Which of the numbers is the
Mode of the data?

A 3 **B** 5 **C** 8 **D** 6

469 What is the Mean of the set of data?

A 11 **B** 12 **C** 5 **D** 6

470 Can you now find the Range of
the set of data?

A 8 **B** 5 **C** 7 **D** 6

MEDIAN, MEAN, MODE and RANGE

471 In four tests Simon scored a mean mark of 68. What was his total mark for all four tests?

A 265 **B** 272 **C** 274 **D** 269

472 When Simon did a fifth test he managed to get 73 marks. What was his mean mark after the fifth test?

A 68 **B** 70 **C** 69 **D** 67

473 Given the numbers 0 to 9, what is the median?

A 4 **B** 5 **C** 5.5 **D** 4.5

474 There are 39 houses in a row numbered 2, 4, 6 etc. What is the number of the middle house?

A 22 **B** 16 **C** 40 **D** 38

475 The temperatures on 10 winter days were:
5, 8, 4, 7, 8, 2, -2, -3, 1, 0
What was the modal temperature?

A -2 **B** 5 **C** 0 **D** 8

476 What was the Range of temperatures on those days?

A 4 degrees **B** 6 degrees
C 11 degrees **D** 0 degrees

There are many other exciting quiz
and puzzle books in the IntelliQuest range,
and your QUIZMO electronic unit
knows the answers to them all!

You can order from your
local bookshop or on-line bookseller.

For a full listing of current titles
(and ISBN numbers) see:

www.intelliquestbooks.com

LAGOON
BOOKS